ISBN : 978-2-7470-5968-8
© Bayard Éditions 2016
18 rue Barbès – 92120 Montrouge – France
Texte de Catherine de Lasa
Illustrations de Yves Calarnou
Dépôt légal : février 2016
Imprimé en France par Pollina s. a. – 85400 Luçon – L73069C
Loi 49-956 du 16 juillet 1949 sur les publications destinées à la jeunesse

Rolande
la brigande

Catherine de Lasa • Yves Calarnou

Rolande la brigande

bayard jeunesse

Rolande est une terrible brigande.
À la tête de ses troupes,
elle attaque les diligences,
elle détrousse les voyageurs,
et tout le monde a peur d'elle.

Une nuit, avec ses compagnons,
Rolande décide d'attaquer le palais du roi.
Elle escalade la muraille
et vole les barriques de vin, les chevaux,
les armes, les provisions.
Elle entre dans la chambre du roi
et de la reine. Ils ont tellement peur
qu'ils font semblant de dormir.
Rolande leur vole leurs habits et leurs bijoux.

Puis, Rolande entre dans la chambre d'à côté,
et elle s'arrête, stupéfaite :
dans le lit, il y a le prince Fedor qui vient d'ouvrir les yeux.
Rolande reste là, bouche ouverte, à le regarder.

Soudain, Olaf, son fidèle serviteur, la tire par le bras :
– Dame Rolande, les gardes se sont réveillés !
Vite, partons avant qu'il ne soit trop tard !
Mais Rolande ne bouge toujours pas.

Alors, Olaf prend Rolande dans ses bras,
il descend l'escalier quatre à quatre,
il saute à cheval
et il s'enfuit au galop vers la forêt.
De loin, Rolande voit le prince à la fenêtre.
Il a ramassé la rose sauvage
qui est tombée de son chapeau,
et il la presse contre son cœur.

Depuis ce jour, Rolande ne dort plus,
ne mange plus, ne boit plus.
Elle est amoureuse du prince Fedor.
Quand Olaf lui dit :
– Dame Rolande, un convoi de marchands
traverse la forêt, allons les attaquer !
Rolande le regarde
comme si elle ne le voyait pas.
Elle va chercher une guitare et elle chante :
– Dans tes yeux eu-eu-eu,
je me suis noyée é-é-é, un soir d'hiver er-er…
Olaf est stupéfait : – Je ne savais pas
que tu chantais et jouais de la guitare !
– Moi non plus, je ne savais pas…
dit Rolande en soupirant.

Olaf est inquiet.
Alors, il appelle à l'aide Marthe la pirate
qui arrive avec toute sa bande.
Rolande et Marthe se jettent
dans les bras l'une de l'autre.
Elles sont si contentes de se revoir!
Mais que se passe-t-il?
Voilà que Rolande pleure
dans les bras de Marthe.
Elle ne sait que répéter:
– Je l'aime, je l'aime, je l'aime…
Marthe prend une décision:
– Demain, le prince donne un bal.
Je vais voler une robe de princesse,
et toi, tu iras danser
avec lui toute la nuit!

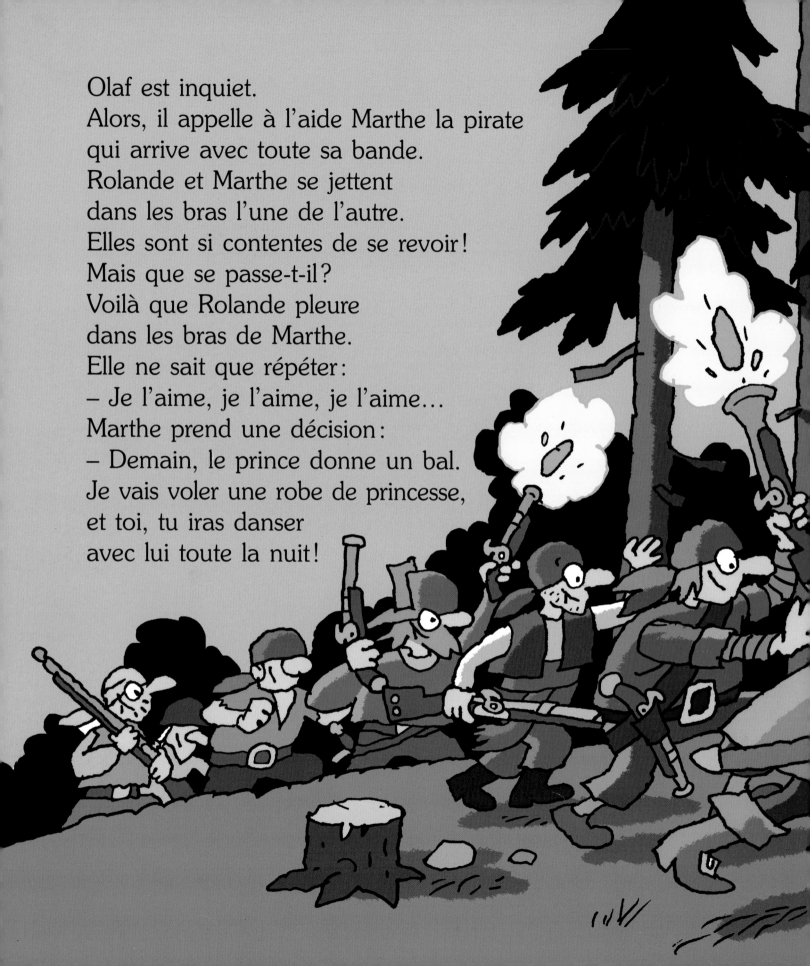

Le lendemain, Rolande s'en va au bal
déguisée en princesse.
Elle a mis une couronne
de roses sauvages dans ses cheveux.
Ses amis pirates et brigands l'accompagnent.
Dès qu'il la voit, le prince la reconnaît.
Il s'approche d'elle et lui murmure :
– J'aime votre parfum de ronces et de fougère.
– C'est l'odeur de ma forêt, répond Rolande.

Mais ensuite, tout va de travers.
Rolande ne sait pas danser,
elle ne sait pas dire des choses aimables,
ni manger comme il faut dans un château.

Finalement, Rolande mord dans un poulet rôti
et boit le vin au goulot.
Les amis du prince la regardent, horrifiés.
Alors, toute honteuse, elle saute par la fenêtre
et s'enfuit dans les bois.

De retour dans sa cabane,
Rolande pleure dans les bras de Marthe :
– Il ne m'aimera jamais…
Je ne serai jamais sa princesse…
– Courage ! répond Marthe.
J'irai capturer pour toi
un professeur de danse !
Et le lendemain, dans la forêt,
Rolande apprend la valse, le tango,
le fandango, le menuet.
Marthe, Olaf, tous les brigands et les pirates
apprennent aussi à danser pour l'accompagner
au prochain bal.

Bientôt, un nouveau bal est donné au château.
Rolande et ses amis se mêlent à la foule des invités.
Le prince s'approche d'elle et lui murmure :
— Depuis que je vous ai vue,
je galope sans fin dans les bois
pour essayer de vous retrouver…
Rolande est si émue qu'elle ne sait plus danser.
Elle marche tant et tant sur les pieds du prince
qu'elle a envie de pleurer et de s'enfuir.

Tout à coup, les trompettes sonnent
et on entend des cris :
– Alerte !
Le roi du pays voisin nous attaque !
Il assiège le château avec son armée !
Ils ont déjà escaladé les murailles
et tué les gardes !
En entendant cela, le roi et la reine
s'évanouissent de terreur.

Alors, le sang de Rolande ne fait qu'un tour :
elle ne sait pas très bien danser,
mais se battre, ça, elle sait faire !
Elle arrache une épée au mur et elle crie :
– À moi, mes fidèles brigands !
Et vous aussi, amis pirates !
Défendons le château jusqu'à la mort !
Le prince est ébloui. Il la suit sur les remparts.
Ainsi, aux côtés de Rolande, d'Olaf,
de Marthe, des brigands
et de tous les pirates,
le prince se bat courageusement
et repousse l'ennemi
dans de terribles combats.

Depuis ce jour,
le prince est encore plus amoureux
de Rolande, sa belle guerrière.
Quelques jours plus tard,
une fête magnifique est donnée
en l'honneur du mariage
de Rolande la brigande et du prince Fedor.
Elle réunit les gens du château,
mais aussi les brigands et les pirates.
Ensuite, tous ensemble,
ils dansent jusqu'au matin
en mordant dans les poulets
et en buvant le vin au goulot !

Dans la collection
Les Belles HISTOIRES

Claire Clément
Carme Solé Vendrell

Antoine Lanciaux
Samuel Ribeyron

Marie-Hélène Delval
Maud Legrand

Pierre Bertrand
Michel Van Zeveren

Chantal de Marolles
Boiry

Anne-Laure Bondoux
Roser Capdevila

Catherine de Lasa
Carme Solé Vendrell

Carl Norac
Claude Cachin

Jacqueline Cohen
Bernadette Després

Marie-Hélène Delval
Pierre Denieuil

Mildred Pitts Walter
Claude et Denise Millet

Alain Korkos
Kristien Aertssen

Véronique Caylou
David Parkins

Marie-Agnès Gaudrat
Colette Camil

René Gouichoux
Éric Gasté

Marie-Agnès Gaudrat
David Parkins

Marie-Agnès Gaudrat
David Parkins

Hélène Leroy
Éric Gasté

Jo Hoestlandt
Claude et Denise Millet

Alain Chiche
Anne Wilsdorf

Youri Vinitchouk
Kost Lavro

Eglal Errera
Giulia Orecchia

Josiane Strelczyk
Serge Bloch

Anne Leviel
Martin Matje

Kidi Bebey
Anne Wilsdorf

Marie-Hélène Delval
Ulises Wensell

René Escudié
Claude et Denise Millet

Thomas Scotto
Jean-François Martin

Myriam Canolle
Colette Camil

Barbro Lindgren
Ulises Wensell

Marie-Agnès Gaudrat
Colette Camil

Michel Amelin
Ulises Wensell

Emilie Soleil
Christel Rönns

Claire Clément
Jean-François Martin

Anne-Isabelle Lacassagne
Emilio Urberuaga

Claude Prothée
Didier Balicevic

Françoise Moreau-Dubois
David Parkins

Anne-Marie Abitan
Ulises Wensell

Kidi Bebey
Anne Wilsdorf

Gwendoline Raisson
Anne Wilsdorf

Thierry Jallet
Sibylle Delacroix

Gigi Bigot
Ulises Wensell

Agnès Bertron
Axel Scheffler

Marie-Hélène Delval
Ulises Wensell

Catharina Valckx

Pascale Chénel
Britta Teckentrup

René Escudié
Ulises Wensell

Claude Prothée
Anne Wilsdorf

Marie Bataille
Ulises Wensell

Anne Mirman
Éric Gasté

René Escudié
Ulises Wensell

Jo Hoestlandt
Anne Wilsdorf

Mimi Zagarriga
Didier Balicevic

Xavier Gorce
Yves Calarnou

Céline Claire
Aurélie Guillerey

Anne-Marie Chapouton
Amélie Dufour

les belles histoires

Les histoires qu'on lit petit nous accompagnent toute la vie

Vous avez aimé cette histoire ?
Découvrez-en de nouvelles tous les mois
dans le magazine **les belles histoires** !

Dans chaque numéro :

• **Une grande histoire**
pour s'émouvoir, rire, frissonner...

• **Des rendez-vous
avec des personnages attachants :**
Zouk **la petite sorcière**
et Polo **l'aventurier rêveur.**

• **Une petite histoire**
pour jouer avec de nouveaux mots.

Pour en savoir plus, rendez-vous sur www.belleshistoires.com